읽으면서 익히는 개념 정리 노트 2

(주)자음과모음

읽으면서 익히는 개념 정리 노트 2

발행일 | 2020년 12월 15일

펴낸이 | 정은영
펴낸곳 | (주)자음과모음

출판등록 | 2001년 11월 28일 제2001-000259호
주　소 | 04047 서울시 마포구 양화로6길 49
전　화 | 편집부 (02)324-2347, 경영지원부 (02)325-6047
팩　스 | 편집부 (02)324-2348, 경영지원부 (02)2648-1311
이메일 | jamoteen@jamobook.com

ISBN 978-89-544-4559-7(44400)
978-89-544-2826-2(set)

잘못된 책은 교환해 드립니다.
이 책은 비매품입니다.

차례

읽으면서 익히는
개념 정리 노트

★ 이 노트는 <수학으로 통하는 과학> 시리즈의 독서 후 활동으로 활용할 수 있습니다.

★ 이 노트는 채점을 위한 시험이 아닙니다.
얼마나 책을 잘 읽었는지, 잘 이해하고 있는지를 스스로 확인해 봅니다.

개념 정리 노트 활용하기!

❶ 책을 읽고 난 뒤에 노트를 보면서 개념을 한 번 더 정리합니다.

❷ 책에서 읽은 이야기를 떠올리면서 노트에 있는 물음에 답해 봅니다.

❸ 책에서 배운 내용을 토대로 더 깊게 생각하는 문제들을 풀어 보고,
자신의 생각을 논리적으로 적어 보도록 합니다.

❹ 공부한 내용을 잘 익혔는지 정답과 풀이에서 확인하도록 합니다.

❺ 노트에는 초등학교뿐만 아니라 중학교에서 배우는 내용도 포함되어 있습니다.
중학교에 들어가기 전에 먼저 공부하는 학습서로도 활용할 수 있습니다.

밤하늘에 숨은 도형을 찾아라!

서원호 글 • 최은영 그림

분야 어린이 / 초등 학습 / 수학 / 과학

키워드 #STEAM #별자리 #태양계 #도형 #빛과 렌즈

내용 소개

어느 날, 유니의 방에 마르스와 새토르가 찾아왔다. 판테온 신전에 사는 꼬마 신인 마르스와 새토르는 구슬 던지기 놀이를 하려다가 태양계의 질서를 관장하는 오메가 구슬을 깨트렸다고 했다. 구슬 조각을 맞추지 못하면 우주의 질서가 흐트러질 수 있기 때문에 오메가 구슬의 조각을 찾기 위해 지구까지 온 것이다. 유니와 두 꼬마 신은 밤하늘에서 그 조각을 찾기 위해 달과 별을 보러 다니며 점, 선, 면의 성질을 익히고 달의 모양이 바뀌는 이유를 배운다. 마르스와 새토르는 깨진 조각을 모두 찾고 무사히 판테온 신전으로 돌아갈 수 있을까?

교과 연계

	1학년	2학년	3학년	4학년	5학년	6학년	중학교
수학				★			★
과학					★	★	★

단원 안내

[초등수학 4-2] 2. 삼각형

[초등과학 5-1] 3. 태양계와 별

[초등과학 6-1] 5. 빛과 렌즈

개념 쏙쏙! 읽으면서 익히자

1. 원심력 초등과학 5-2

원운동하는 물체가 중심 밖으로 나가려는 힘을 말합니다. 그러나 실제로 원심력이란 관성에 의한 효과의 일종일 뿐입니다. 실에 매달려 회전하던 깡통의 줄이 끊어진다면 깡통은 바깥쪽으로 나가는 것이 아니라 접선 방향으로 달아납니다. 깡통의 줄이 끊어지는 순간, 구심력은 사라지고 깡통은 아무 힘도 받지 않게 되어 접선 경로로 날아가는 것입니다.

2. 변의 길이에 따라 달라지는 삼각형의 이름 초등수학 4-2

삼각형은 변의 길이에 따라 분류할 수 있습니다. 세 변의 길이가 모두 같은 삼각형은 정삼각형, 두 변의 길이가 같은 삼각형은 이등변삼각형, 세 변의 길이가 모두 다른 삼각형은 부등변삼각형이라고 합니다. 이때, 세 변의 길이가 같은 정삼각형은 이등변삼각형이라고도 할 수 있습니다.

3. 구와 원 중학교 수학

차원 공간에서 한 정점과 일정한 거리에 있는 점의 자취를 구면이라고 하고, 이 구면을 경계로 하는 입체를 구라고 합니다. 원과 구는 모두 둥근 형태이지만, 원은 평면도형이고 구는 입체도형입니다.

4. 태양계 초등과학 5-1

태양계는 태양과 태양의 영향권 내에 있는 주변 천체로 구성되어 있습니다. 태양계에는 항성인 태양, 태양을 공전하는 행성, 그 행성을 공전하는 위성이 있으며, 왜행성과 소행성, 혜성, 카이퍼대 천체를 비롯한 태양계 소천체, 행성 간 먼지가 속해 있습니다.

태양계에 존재하는 행성은 수성, 금성, 지구, 화성, 목성, 토성, 천왕성, 해왕성입니다. 이들은 지구형행성과 목성형행성으로 나눌 수 있는데, 지구형행성은 암석으로 되어 있으며 위성이 없거나 수가 적습니다.

5. 원 중학교 수학

컴퍼스를 이용하여 한 끝점을 고정시킨 다음 다른 한 끝점을 한 바퀴 돌려 봅니다. 이렇게 만들어진 도형을 원이라고 합니다. 이처럼 원은 평면 위의 한 점에서 일정한 거리에 있는 점으로 이루어진 동그란 곡선을 말합니다.

원의 중심을 지나도록 원 위의 두 점을 잇는 선분을 지름이라고 하고, 원의 중심에서부터 원 위의 한 점을 잇는 선분을 반지름이라고 합니다. 원의 중심에서 원의 둘레까지의 길이는 모두 같으므로 지름의 길이는 반지름 길이의 두 배가 됩니다. 예를 들어, 반지름의 길이가 2cm라면 지름은 그 두 배인 4cm입니다.

6. 굴절망원경 초등과학 6-1

굴절망원경은 여러 개의 렌즈를 사용하여 만든 망원경입니다. 물체를 향하는 대물렌즈는 물체에서 오는 빛을 모으고, 접안렌즈는 맺힌 상을 확대하는 역할을 합니다. 굴절망원경은 두 개의 볼록렌즈(대물렌즈와 접안렌즈)로 완전 밀폐되어 있어 경통 내부에 공기의 흐름이 발생하지 않아 안정된 상을 얻을 수 있습니다. 그러나 대물렌즈에서 모든 빛이 정확하게 한 점으로 모이지 않아서 색이 다른 빛들이 상 주변에서 약간씩 퍼지는 색수차 현상이 발생한다는 단점이 있습니다.

7. 시간과 시각 초등수학 1-2

시각은 시간의 어떤 한 지점을 말하고, 시간은 어떤 시각에서부터 어떤 시각까지의 사이를 말합니다.

분침이 시계를 한 바퀴 도는 데 걸리는 시간은 60분입니다. 이때 시침은 숫자 한 칸만큼 움직입니다. 마찬가지로 초침이 한 바퀴 도는 데 걸리는 시간은 60초입니다. 이때 분침은 작은 눈금 한 칸만큼 움직입니다. 따라서 1시간은 60분이고, 1분은 60초입니다.

8. 태양의 고도와 측정 초등과학 5-1

태양의 고도는 지평면과 태양이 이루는 각으로, 아주 간단한 방법으로 측정할 수 있습니다. 먼저 운동장에 막대를 수직으로 꽂고, 막대가 만드는 그림자의 끝을 표시합니다. 그리고 막대 끝과 그림자 끝을 실로 연결한 다음 막대 그림자와 실이 이루는 각을 각도기로 재어 태양의 고도를 측정할 수 있습니다. 태양의 고도가 달라지면 기온이 변합니다.

9. 북극성 초등과학 5-1

북극성은 옛날부터 사람들에게 아주 중요한 별이었습니다. 북극성은 다른 별들과는 달리 항상 같은 자리에 있기 때문에 길을 잃었을 때 북극성을 보고 북쪽을 찾았습니다. 또 배를 타는 사람들은 사방이 똑같은 바다에서 북극성을 이용해 방향을 찾기도 했습니다. 이처럼 북극성은 사람들에게 길라잡이 역할을 했습니다.

10. 월식 초등과학 5-1

월식은 달이 지구의 그림자에 가려져 보이지 않게 되는 현상입니다. 태양, 지구, 달이 순서대로 일직선상에 위치할 때 생기며, 보름달이 뜨는 시기에 일어납니다. 이때 생기는 지구 그림자의 어두운 부분을 본그림자, 옅은 그림자를 반그림자라고 부릅니다.

달이 지구의 그림자에 완전히 가려지면 개기월식이라고 하고 부분만 가려지면 부분월식이라고 합니다.

11. 밀물과 썰물 초등과학 6-2

해수면이 높아져 해안의 바닷물이 육지 쪽으로 들어오면 밀물, 반대로 해수면이 낮아져 바닷물이 바다 쪽으로 빠지면 썰물이라고 합니다. 밀물과 썰물은 지구가 태양과 달 사이에서 받는 다양한 힘으로 인해 일어납니다. 지구는 자전축을 중심으로 자전하는 동시에 태양의 주위를 공전하고, 이러한 지구 주위를 달이 공전하기 때문입니다. 태양과 달이 지구를 끌어당기는 인력과 지구의 자전과 공전으로 생긴 원심력이 지표면의 바닷물을 한쪽으로 몰아 해수면의 높낮이가 달라지게 됩니다.

12. 만유인력 중학교 과학

만유인력은 질량을 가진 모든 물체끼리 서로 끌어당기는 힘입니다. 뉴턴의 만유인력 법칙에 의하면, 우주에 있는 두 개의 물체는 그들의 질량에 비례하고 두 물체 사이 거리의 제곱에 반비례하는 힘으로 서로를 끌어당깁니다.

13. 회전체 중학교 수학

한 직선을 축으로 하여 평면도형을 1회전 시킨 입체도형을 회전체라고 합니다. 이때, 축으로 사용한 직선을 회전축이라고 하며, 회전축이 평면도형과 떨어져 있는 경우에는 속이 비어 있는 회전체가 됩니다. 회전체를 평면으로 잘랐을 때 생기는 도형의 단면은 자르는 방향에 따라 모양이 달라집니다.

이야기를 떠올리며 물음에 답하기

1. 새토르가 마르스와 공놀이를 할 때 사용한 원심력에 대해 설명해 보세요.

2. 변의 길이에 따라 삼각형을 어떻게 나눌 수 있는지 이야기해 보세요.

3. 판테온 신전이 질서를 관장했다는 태양계에 대하여 알아보세요.

4. 유니는 새토르와 마르스에게 태양의 고도를 측정하는 방법을 가르쳐 주었습니다. 어떻게 측정할 수 있는지 이야기해 보세요.

5. 마르스와 새토르는 달이 사라지는 것을 보고 안절부절못했습니다. 달이 사라지는 현상인 월식을 설명해 보세요.

6. 해변가에서는 바닷물이 밀려들어 오고 빠지는 일이 반복됩니다. 이러한 현상이 왜 일어나는지 이야기해 보세요.

7. 지구와 달, 태양이 서로 끌어당기는 힘에 대해 설명해 보세요.

8. 한 직선을 축으로 하여 평면도형을 1회전 시킨 도형에 대하여 아는 대로 적어 보세요.

더 깊게 알아보기

1. 다음을 계산해 보세요.

(1)
```
   5시 10분
 −1시 58분
```

(2)
```
   9시간 15분
 −4시간 27분
```

2. 길이가 570mm인 끈으로 최대한 큰 원을 만들었습니다. 이 원의 지름을 구해 보세요.

3. 우주에서 회전을 하는 천체들은 원 모양으로 회전합니다. 원이 무엇인지 설명해 보세요.

4. △ABC와 △DEF는 닮음입니다. 다음 물음에 답해 보세요.

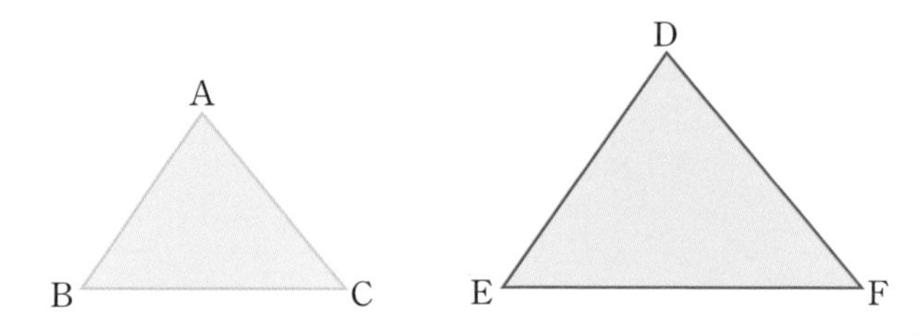

(1) 점 A의 대응점을 말해 보세요.

(2) 선분 BC의 대응변을 말해 보세요.

(3) 각 C의 대응각을 말해 보세요.

5. 다음 평면도형을 회전축을 중심으로 1회전 시킬 때 생기는 회전체를 그려 보세요.

(1)

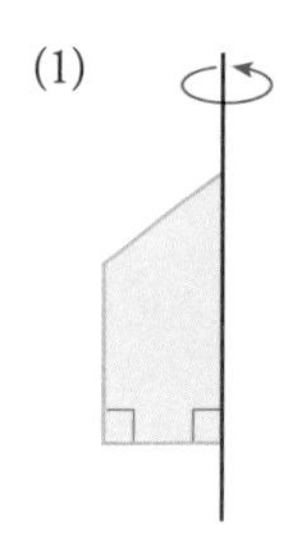

(2)

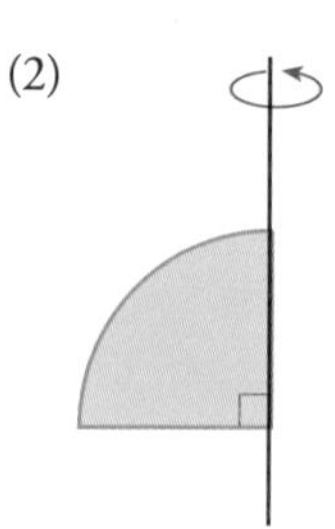

정답 및 풀이

이야기를 떠올리며 물음에 답하기

1.

원심력은 물체가 원운동을 하면서 생깁니다. 물체가 원운동을 할 때 중심으로부터 바깥쪽으로 원심력이 작용합니다. 원심력은 물체의 무게가 무거울수록 강해집니다. 원심력을 이용하면 손으로 던지는 것보다 더 멀리 물체를 날려 보낼 수 있습니다.

2.

변의 길이에 따라 삼각형을 분류할 수 있습니다. 세 변의 길이가 모두 같은 삼각형은 정삼각형, 두 변의 길이가 같은 삼각형은 이등변삼각형, 세 변의 길이가 모두 다른 삼각형은 부등변삼각형이라고 합니다. 이때, 세 변의 길이가 같은 정삼각형은 이등변삼각형이라고도 할 수 있습니다.

3.

태양계는 태양과 태양의 영향권 내에 있는 주변 천체로 구성되어 있습니다. 태양계에는 항성인 태양, 태양을 공전하는 행성, 그 행성을 공전하는 위성이 있으며, 왜행성과 소행성, 혜성, 카이퍼대 천체를 비롯한 태양계 소천체, 행성 간 먼지가 속해 있습니다.

태양계에 존재하는 행성은 수성, 금성, 지구, 화성, 목성, 토성, 천왕성, 해왕성입니다. 이들은 지구형 행성과 목성형 행성으로 나눌 수 있는데, 지구형 행성은 암석으로 되어 있으며 위성이 없거나 수가 적습니다.

4.

태양의 고도는 지평면과 태양이 이루는 각을 말합니다. 이것을 측정하는 방법은 아주 간단합니다. 먼저 운동장에 막대를 수직으로 꽂고, 막대가 만드는 그림자 끝을 표시합니다. 그리고 막대 끝과 그림자 끝을 실로 연결한 다음 막대 그림자와 실이 이루는 각을 각도기로 잽니다.

5.
월식은 달이 지구의 그림자에 가려져 보이지 않게 되는 현상입니다. 태양, 지구, 달의 순서로 위치해 있을 때 생기며, 보름달이 뜨는 시기에 일어납니다. 이때 생기는 지구 그림자의 어두운 부분은 본그림자라고 하고, 옅은 그림자는 반그림자라고 합니다. 달이 지구의 그림자에 완전히 가려지면 개기월식, 부분만 가려지면 부분월식입니다.

6.
해수면이 높아져 해안의 바닷물이 육지 쪽으로 들어오는 것은 밀물이라고 합니다. 반대로 해수면이 낮아져 바닷물이 바다 쪽으로 빠지는 것은 썰물이라고 합니다. 밀물과 썰물은 지구가 태양과 달 사이에서 받는 다양한 힘 때문에 생깁니다. 지구는 자전축을 중심으로 자전하는 동시에 태양의 주위를 공전하는데, 이러한 지구 주위를 달이 공전하고 있기 때문입니다. 이때, 태양과 달이 지구를 끌어당기는 인력과 지구의 자전과 공전으로 생긴 원심력이 지표면의 바닷물을 한쪽으로 몰아 해수면의 높낮이가 달라집니다.

7.
만유인력은 질량을 가진 모든 물체끼리 서로 끌어당기는 힘입니다. 뉴턴의 만유인력 법칙에 의하면, 우주에 있는 두 개의 물체는 그들의 질량에 비례하고 두 물체 사이 거리의 제곱에 반비례하는 힘으로 서로를 끌어당깁니다.

8.
한 직선을 축으로 하여 평면도형을 1회전 시킨 입체도형을 회전체라고 합니다. 이때 회전축이 평면도형과 떨어져 있는 경우에는 속이 비어 있는 회전체가 만들어집니다. 회전체를 평면으로 잘라 생긴 단면은 자르는 방향에 따라 모양이 달라집니다.

1. (1) **3시 12분** (2) **4시간 48분**

60분법을 활용하여 풀 수 있습니다.

(1)

```
 4   60
 5시 10분
-1시 58분
---------
 3시 12분
```

(2)

```
 8     60
 9시간 15분
-4시간 27분
-----------
 4시간 48분
```

2. **약 181.5mm**

원의 둘레는 원의 지름에 원주율을 곱한 값입니다. 원의 지름을 x라고 하면, $3.14 \times x = 570$이라는 식을 만들 수 있습니다. 따라서 x=약 181.5mm입니다.

3.

원은 평면 위의 두 점으로부터 거리의 합이 일정한 점들의 집합으로 만들어지는 곡선입니다.

4. (1) **점 D** (2) **선분 EF** (3) **각 F**

5.

(1)

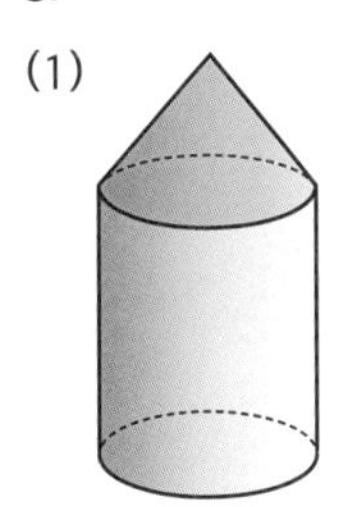

(2)

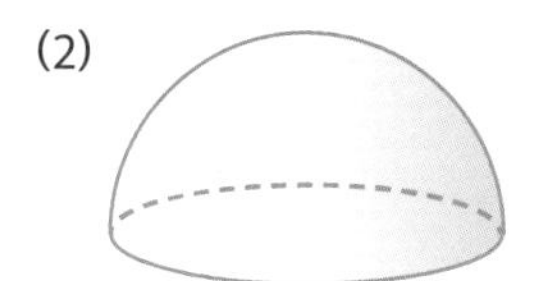

분자 마법으로 부피를 변화시켜라

강선화 글 • 이지후 그림

분야 어린이 / 초등 학습 / 수학 / 과학

키워드 #STEAM #분자 #물질의 상태 변화 #부피와 밀도

내용 소개

엄마와 함께 동남아시아 요트 여행을 갔다가 바다에 빠진 황 찬을 마법사 아론이 구해 주었다. 무인도에서 눈을 뜬 찬은 빨리 엄마 품으로 돌아가야 한다는 생각으로 모래사장에 'SOS'를 크게 쓰고 구조 요청을 해 보았지만 아무 소용이 없다. 그런데 아론의 마법 지팡이만 찾으면 집에 갈 수 있다지 않은가! 마법 지팡이는 마법 대회에서 우승을 해야만 되찾을 수 있다. 찬은 아론의 제자가 되어 분자 마법에 필요한 지식을 배우고, 마법 대회에 출전하여 그동안 배운 지식을 총동원한다. 과연 황 찬은 마법 대회에서 우승을 하고 엄마에게 돌아갈 수 있을까?

교과 연계

	1학년	2학년	3학년	4학년	5학년	6학년	중학교
수학						★	★
과학				★	★	★	★

단원 안내

[초등수학 6-2] 4. 비례식과 비례배분

[초등과학 4-1] 5. 혼합물의 분리

[초등과학 5-1] 2. 온도와 열

[초등과학 6-1] 3. 여러 가지 기체

개념 쏙쏙! 읽으면서 익히자

1. 드라이아이스의 성질 초등과학 4-1

드라이아이스는 고체 형태의 이산화탄소로 압력이 1기압일 때 −78.5℃에서 기체로 승화되며, 다양한 용도의 냉매로 사용됩니다. 특히 부산물을 남기지 않기 때문에 육류나 아이스크림 같은 냉동 및 냉장 식품을 보관하고 운반하는 데 편리합니다.

2. 삼투 초등과학 5-1

수용액 속에 분자량이 큰 용질이 용해되어 있을 때, 반투막을 사이에 두고 물 분자는 쉽게 통과하지만 크기가 큰 용질 입자는 통과하지 못하는 현상을 말합니다.

오이를 소금물에 담그면 쭈글쭈글해지고, 적혈구를 물에 넣으면 부풀어 올라 터지는 것을 볼 수 있습니다. 이것은 동식물의 세포막도 반투막 역할을 하기 때문입니다. 오이 속의 물 분자는 반투막을 통해 쉽게 빠져나가지만, 소금물 속에서는 물이 오이 속으로 들어가는 것을 소금 입자가 방해하기 때문에 오이가 쭈글쭈글해집니다.

3. 원자 중학교 과학

원소의 성질을 잃지 않으면서 물질을 이루는 최소 입자를 원자라고 합니다. 그리스의 철학자 데모크리토스나 영국의 물리학자 돌턴은 물질을 계속 쪼개 나가다 보면 더 이상 쪼갤 수 없는 것이 나올 거라고 생각했습니다. 이렇게 더 이상 쪼갤 수 없는 입자가 원자(atom)입니다.

4. 분자 중학교 과학

분자는 원소들이 화학결합을 통해 구성한 최소의 단위체입니다. 즉, 물질을 구성하는 최소 단위입니다. 분자는 같은 종류의 원자가 결합된 분자와 서로 다른 원자들이 결합된 분자로 구분할 수 있습니다. 동종핵 분자는 수소(H_2)와 산소(O_2) 등을 예로 들 수 있습니다. 이종핵 분자는 서로 다른 원자들이 결합하여 분자를 이루기 때문에 그 수가 무한히 많습니다.

5. 물의 상태 변화 초등과학 4-2

바닷물이 구름이 되고 비가 되어 땅으로 떨어져 강을 이루고 다시 바다로 돌아오는 과정을 물의 순환이라고 합니다. 이러한 과정은 자연 상태에서 액체, 기체, 고체로 모두 존재할 수 있는 물의 특성 때문에 생깁니다. 지구에 있는 물은 대부분 액체 상태로 존재하지만, 기체 상태인 수증기나 고체 상태인 얼음으로도 존재합니다.

6. 경우의 수 중학교 수학

어떤 사건이 일어나는 방법이 전부 m가지일 때, 그 사건이 일어나는 경우의 수는 m가지라고 할 수 있습니다. 경우의 수에는 합의 법칙과 곱의 법칙이 있습니다. 이 법칙들은 둘 이상의 사건에 대해 성립합니다.

① 합의 법칙 : 두 사건 A와 B는 동시에 일어나지 않는다고 할 때, A가 일어나

는 경우의 수가 m가지이고 B가 일어나는 경우의 수가 n가지라면, A 또는 B 중 어느 한쪽이 일어나는 경우의 수는 $(m+n)$가지입니다.

② 곱의 법칙 : 두 사건 A와 B가 연달아 일어날 때, A가 일어나는 경우의 수 m가지 각각에 대하여 B가 일어나는 경우의 수가 n가지라면, A와 B가 동시에 일어나는 경우의 수는 $(m \times n)$가지입니다.

7. 증발 초등과학 5-1

증발은 액체의 표면에서 일어나는 기화 현상입니다. 액체 표면의 분자 중에서 높은 에너지를 가진 입자들이 분자 사이의 인력을 끊고 기체상으로 튀어나와 기화됩니다.

액체 내부로부터 기포가 발생하면서 생기는 기화 현상은 '끓음'이라고 합니다. 끓는점에서 일어나기 시작하지만 증발은 끓는점보다 낮은 온도에서도 일어납니다.

8. 밀도 중학교 과학

물질의 단위부피당 질량을 말하며, 국제단위계에서의 단위는 kg/m^3입니다. 물보다 밀도가 작으면 물에 뜨고, 밀도가 크면 가라앉는 것처럼 밀도는 물질의 특성을 나타내기도 합니다. 밀도는 전체 질량을 전체 부피로 나눈 값이며, 같은 질량에서 밀도가 클수록 부피는 작아집니다.

9. 물질의 상태 변화 중학교 과학

고체 상태일 때 대부분의 물질은 입자 사이의 간격이 좁고 규칙적으로 배열되어 있습니다. 개개의 입자들은 자유롭게 움직일 수 없고, 단지 제자리에서 진동

할 뿐입니다. 따라서 고체 상태의 물질은 일정한 겉모양을 가지고 있으며, 그 모양과 크기가 쉽게 변하지 않습니다.

그러나 고체 물질을 가열하면 입자들의 운동이 활발해져 주변 입자들 사이의 인력을 끊고 액체 상태가 됩니다. 액체 상태의 물질은 불규칙적으로 배열되어 있어 서로 자리를 바꾸는 정도로 움직일 수 있습니다.

액체 상태의 물질에 계속 열을 가하면 입자들은 기체로 변합니다. 기체 상태의 입자들은 고체나 액체에 비해 서로 멀리 떨어져 있고 활발하게 운동하기 때문에 부피가 크게 늘어납니다.

10. 융해 초등과학 5-1

융해는 고체가 액체로 변하는 현상을 말합니다. 아이스크림, 초콜릿, 촛농 등이 녹는 융해 현상을 일상생활에서도 흔히 볼 수 있습니다. 얼음이 녹아 물이 되는 것 역시 융해 현상입니다.

얼음이 융해되면 부피가 줄어듭니다. 물을 이루고 있는 알갱이들은 가운데가 비어 있는 모양으로 뭉쳐서 얼기 때문에 부피가 늘어납니다. 따라서 얼음이 녹으면 가운데가 비어 있는 모양이 없어지면서 부피가 줄어들게 됩니다. 그래서 얼어 있을 때는 용기를 가득 채운 얼음과자가 녹아 액체 상태가 되면 공간이 생깁니다. 이를 통해 얼음이 융해되어 부피가 줄어든 것을 알 수 있습니다.

11. 응고 초등과학 5-1

액체가 열에너지를 잃고 고체로 변하는 경우를 응고라고 합니다. 액체 또는 기체 속에 분산되어 있는 입자가 집합하여 큰 입자가 되는 현상인 응결을 응고라고 말하기도 합니다. 물을 제외한 대부분의 물질은 응고에 의해 분자와 분자 사이의 거리가 가까워져 부피가 줄어듭니다. 응고 현상이 일어날 경우 분자의 수에는 변함이 없으므로 질량은 변하지 않습니다.

12. 섬광 중학교 과학

섬광은 순간적으로 강렬히 번쩍이는 빛입니다. 물리학적 관점에서는 물질이 충분한 에너지의 빛, 방사선, 전기장, 열 등의 외부 자극을 받아 순간적으로 발광하는 현상을 의미합니다.

13. 습도 중학교 과학

공기의 습하고 건조한 정도를 수치로 표현한 값을 습도라고 합니다. 습도에는 절대습도와 상대습도가 있으며, 우리가 주로 이야기하는 습도는 상대습도를 말합니다.

14. 거리와 시간과 속력의 관계 중학교 수학

속력은 물체의 빠르기를 나타낼 때 사용되며, 물체가 움직인 거리를 이동하는 데 걸린 시간으로 나누어 그 값을 구할 수 있습니다. 이를 이용하여 속력, 시간, 거리의 관계를 알 수 있습니다.

$$(\text{속력})=\frac{(\text{거리})}{(\text{시간})}$$

$$(\text{시간})=\frac{(\text{거리})}{(\text{속력})}$$

$$(\text{거리})=(\text{속력})\times(\text{시간})$$

15. 반비례 중학교 수학

한쪽 양이 커질 때 다른 쪽 양은 같은 비로 작아지는 관계를 반비례라고 합니다. 즉, 함께 변화하는 두 양이 있을 때, 한쪽의 양을 2배, 3배, …하면 그 양에 대응하는 다른 쪽의 양은 $\frac{1}{2}$배, $\frac{1}{3}$배, …로 줄어듭니다.

이야기를 떠올리며 물음에 답하기

1. 바닷물에 빠진 찬이가 몸에서 물이 빠져나갈까 걱정했던 현상에 대해 설명해 보세요.

2. 마법사 아론이 설명한 '원소의 성질을 잃지 않으면서 물질을 이루는 최소 입자'에 대해 이야기해 보세요.

3. 과산화수소 분자처럼 원소들이 화학결합을 통해 구성한 최소의 단위체는 무엇인지 설명해 보세요.

4. 바나나 잎에 맺혔던 물을 생각하며 물의 상태 변화에 대해 이야기해 보세요.

5. 어떤 사건이 일어나는 가짓수를 경우의 수라고 합니다. 수학의 확률에서 나오는 경우의 수에 대해 말해 보세요.

6. 아스팔트에 뿌렸던 물이 뜨거운 날씨에 수증기가 되어 공기 중으로 날아간 현상을 설명해 보세요.

7. 아론이 구슬을 공중에 띄우기 위해 이용한 밀도에 대해 이야기해 보세요.

8. 찬이가 마법 지팡이를 사용하며 알게 된 융해에 대해 말해 보세요.

9. 융해의 반대 현상으로, 액체가 열에너지를 잃고 고체로 상태 변화가 일어나는 경우에 대해 설명해 보세요.

10. 아저씨는 압력이 면적의 반비례라고 말했습니다. 아저씨가 알려 준 이야기를 떠올리면서 반비례에 대해 이야기해 보세요.

더 깊게 알아보기

1. 풀잎에 맺힌 이슬은 반원 형태입니다. 다음 그림과 같은 반원의 겉넓이를 구해 보세요.

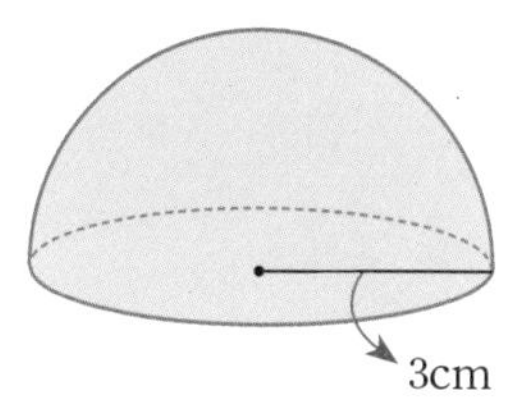

2. 위 1번 문제에서 나온 반원의 부피를 구해 보세요.

3. 거리, 속력, 시간의 관계를 설명해 보세요.

4. 집에서 학교로 갈 때는 시속 10km로 가고, 학교에서 집으로 올 때는 시속 5km로 왔더니 총 1시간 30분이 걸렸습니다. 다음 물음에 답해 보세요.

(1) 집에서 학교로 가는 데 걸린 시간을 구해 보세요.

(2) 학교에서 집으로 오는 데 걸린 시간을 구해 보세요.

(3) 집과 학교 사이의 거리를 구해 보세요.

이야기를 떠올리며 물음에 답하기

1.

황 찬이 걱정했던 것은 삼투현상입니다. 삼투는 수용액 속에 분자량이 큰 용질이 용해되어 있을 때, 반투막을 사이에 두고 물 분자는 쉽게 통과하지만 크기가 큰 용질 입자는 통과하지 못하는 것을 말합니다.

오이를 소금물에 담그면 쭈글쭈글해지고, 적혈구를 물에 넣으면 부풀어 올라 터지는 것처럼 동식물의 세포막도 반투막 역할을 합니다. 오이 속의 물 분자는 반투막을 통해 쉽게 빠져나가지만, 소금물 속에서는 물이 오이 속으로 들어가는 것을 소금 입자가 방해하기 때문에 오이가 쭈글쭈글해집니다.

2.

원소의 성질을 잃지 않으면서 물질을 이루는 최소 입자를 원자라고 합니다. 그리스의 철학자 데모크리토스나 영국의 물리학자 돌턴은 물질을 계속 쪼개 나가다 보면 더 이상 쪼갤 수 없는 것이 나올 거라고 생각했습니다. 이렇게 더 이상 쪼갤 수 없는 입자가 원자(atom)입니다.

3.

분자는 원소들이 화학결합을 통해 구성한 최소의 단위체입니다. 즉, 물질을 구성하는 최소 단위입니다. 분자는 같은 종류의 원자가 결합된 분자와 서로 다른 원자들이 결합된 분자로 구분할 수 있습니다. 동종핵 분자는 수소(H_2)와 산소(O_2) 등을 예로 들 수 있습니다. 이종핵 분자는 서로 다른 원자들이 결합하여 분자를 이루기 때문에 그 수가 무한히 많습니다.

4.

지구에 있는 물은 대부분 액체 상태인 물로 존재하지만, 기체 상태인 수증기나 고체 상태인 얼음으로도 존재합니다. 이처럼 물은 자연 상태에서 액체, 기체, 고체로 모두 존재할 있는 특성이 있기 때문에 물의 순환 과정이 생깁니다. 바닷물이 구름이 되고 비가 되어 땅으로 떨어져 강을 이루고 다시 바다로 돌아오는 과정을 물의 순환이라고 합니다.

5.

경우의 수는 어떤 일이 일어날 수 있는 모든 경우의 가짓수를 말합니다. 예를 들어, 동전을 던졌을 때 동전의 한 면이 나오는 경우의 수는 앞면과 뒷면 두 가지입니다. 이처럼 어떤 사건이 일어나는 방법이 전부 m가지일 때, 그 사건이 일어나는 경우의 수는 m가지라고 할 수 있습니다.

6.

황 찬이 아스팔트에 뿌렸던 물이 뜨거운 날씨에 수증기가 되어 공기 중으로 날아간 것은 증발 현상입니다. 이는 액체의 표면에서 일어나는 기화 현상으로, 액체 표면의 분자 중에서 에너지가 높은 입자들이 분자 사이의 인력을 끊고 기체상으로 튀어나와 기화되는 것을 말합니다.

7.

밀도는 물질의 단위부피당 질량을 말하며, 국제단위계에서의 단위는 kg/m^3입니다. 물보다 밀도가 작으면 물에 뜨고, 밀도가 크면 가라앉는 것처럼 밀도는 물질의 특성을 나타내기도 합니다. 밀도는 전체 질량을 전체 부피로 나눈 값이며, 같은 질량에서 밀도가 클수록 부피는 작아집니다.

8.

융해는 고체가 액체로 변하는 현상을 말합니다. 일상생활에서는 아이스크림, 초콜릿, 촛농 등이 녹거나 얼음이 녹아 물이 되는 융해 현상을 흔히 볼 수 있습니다. 얼음은 융해되면 부피가 줄어듭니다. 얼어 있을 때는 얼음과자가 용기를 가득 채웠지만, 얼음과자가 녹은 후에는 용기에 공간이 생기는 것을 통해 물의 부피 변화를 알 수 있습니다.

9.

액체가 열에너지를 잃고 고체로 변하는 것을 응고라고 합니다. 액체 또는 기체 속에 분산되어 있는 입자가 집합하여 큰 입자가 되는 현상인 응결을 응고라고 하기도 합니다. 물을 제외한 대부분의 물질은 응고에 의해 분자와 분자 사이의 거리가 가까워져 부피가 줄어듭니다. 응고 현상이 일어날 경우 분자의 수에는 변함이 없으므로 질량은 변하지 않습니다.

10.

한쪽 양이 커질 때 다른 쪽 양은 같은 비로 작아지는 관계를 반비례라고 합니다. 즉, 함께 변화하는 두 양이 있을 때, 한쪽의 양을 2배, 3배, …하면 그 양에 대응하는 다른 쪽의 양은 $\frac{1}{2}$배, $\frac{1}{3}$배, …로 줄어듭니다.

더 깊게 알아보기

1. **$27\pi \mathrm{cm}^2$**

원과 구의 넓이와 부피는 원주율을 이용하여 구할 수 있습니다. 원주율은 기호로 간단히 π로 나타냅니다.

(도형의 겉넓이)=(구의 겉넓이)$\times\frac{1}{2}$+(원의 넓이)

$$=(4\pi\times3^2)\times\frac{1}{2}+\pi\times3^2$$
$$=18\pi+9\pi$$
$$=27\pi(\mathrm{cm}^2)$$

2. **$18\pi \mathrm{cm}^3$**

(도형의 부피)=(구의 부피)$\times\frac{1}{2}$

$$=(\frac{4}{3}\pi\times3^3)\times\frac{1}{2}$$
$$=18\pi(\mathrm{cm}^3)$$

3.

속력은 물체가 움직인 거리를 이동하는 데 걸린 시간으로 나누어 그 값을 구할 수 있습니다. 이를 통해 속력, 시간, 거리의 관계를 알 수 있습니다.

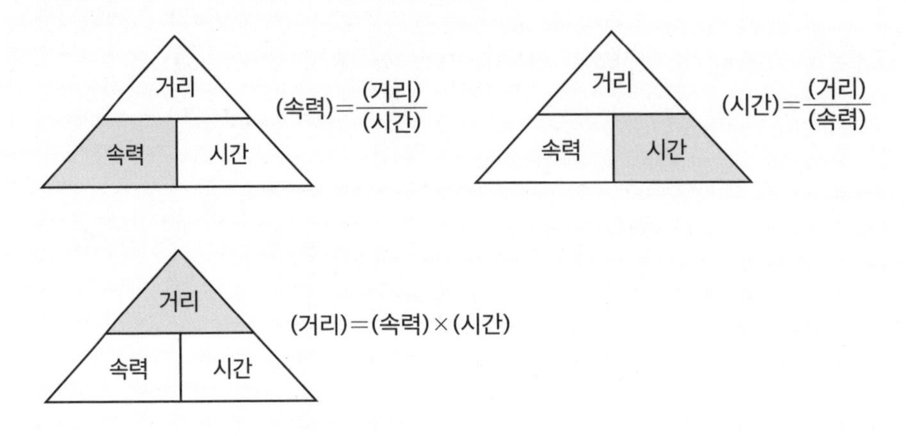

4. (1) $\frac{x}{10}$시간 (2) $\frac{x}{5}$시간 (3) **5km**

(1) 집과 학교 사이의 거리를 미지수 x로 놓으면, 시간은 거리를 속력으로 나눈 값이므로 집에서 학교로 갈 때 걸린 시간은 $\frac{x}{10}$시간입니다.

(2) 집과 학교 사이의 거리를 미지수 x로 놓으면, 학교에서 집으로 올 때 걸린 시간은 $\frac{x}{5}$시간입니다.

(3) 갈 때 걸린 시간과 올 때 걸린 시간의 합은 1시간 30분입니다. 1시간 30분은 1.5시간으로 나타낼 수 있습니다. 따라서 다음과 같은 방정식을 세울 수 있습니다.

$\frac{x}{10}+\frac{x}{5}=1.5$

두 분모인 10과 5의 최소공배수인 10을 등식의 양변에 곱하면, $x+2x=15$, $3x=15$와 같이 간단한 식을 만들 수 있습니다. 따라서 집과 학교 사이의 거리 x는 5km입니다.

속도로 우주의 거리를 구하라!

김승태 글 • 방상호 그림

분야 어린이 / 초등 학습 / 수학 / 과학

키워드 #STEAM #우주 #태양계 #합동과 대칭 #원의 넓이

내용 소개

한별이가 보낸 신호를 받고 외깨인이 지구로 날아왔다. 과학을 좋아하는 한별이와 수학을 잘하는 수희는 외계에서 온 외깨인과 함께 우주여행을 한다. 이들은 우주를 탈출하기 위해 필요한 속도, 태양계 행성들의 특징, 은하의 크기 등을 알아보고, 우주여행을 통해 우주가 처음에 어떻게 팽창했는지, 지금도 우주가 팽창하는지, 팽창한다면 얼마나 팽창하고 우주의 크기는 얼마인지를 배운다. 또 우주의 기원을 밝히는 것은 물론 속도, 거리, 부피의 관계를 익히며 과학자들의 입을 빌려 우주와 태양계에 대해 깨우친다. 유명한 과학자 프리드만과 호일의 '우주 전쟁'은 과연 어떻게 끝날까?

교과 연계

	1학년	2학년	3학년	4학년	5학년	6학년	중학교
수학					★	★	★
과학					★		★

단원 안내

[초등수학 5-2] 3. 합동과 대칭

[초등수학 6-2] 5. 원의 넓이

[초등과학 5-1] 3. 태양계와 별

개념 쏙쏙! 읽으면서 익히자

1. 등호와 등식 중학교 수학

등호(=)는 두 수식이 같음을 나타내는 기호입니다. 등호를 사용하여 나타낸 등식의 좌변과 우변은 같습니다.

2. 방정식 중학교 수학

변수를 포함하는 등식이 변수의 값에 상관없이 항상 참인 경우를 항등식이라고 합니다. 이에 견주어 변수의 값에 따라서 참 또는 거짓이 되는 식을 방정식이라고 합니다. 이때, 등식을 성립시키는 특정한 값을 방정식의 근 또는 해라고 하고, 근을 구하는 것을 '방정식을 푼다'라고 말합니다.

3. 중력 중학교 과학

질량이 있는 모든 물체 사이에는 서로 끌어당기는 만유인력이 작용하는데, 특히 지구가 물체를 잡아당기는 힘을 중력이라고 합니다. 이러한 이유로 만유인력을 중력이라고 할 때도 있지만, 정확히는 만유인력과 지구의 자전에 따르는 원심력을 더한 힘이 중력입니다. 중력이 존재하기 때문에 우리는 공중에 떠다니지 않고 지표면에서 생활합니다. 중력은 지표 근처의 물체를 아래쪽으로 당기기 때문입니다.

4. 우주속도 중학교 과학

우주속도는 지구에서 쏘아 올린 물체가 지구 주위를 돌거나 다른 천체에 도달하는 데 필요한 속도입니다. 제1우주속도는 인공위성을 지구 상공에 띄워 올리는 속도이고, 제2우주속도는 지구인력을 벗어나 우주로 나아갈 수 있는 속도이며, 제3우주속도는 태양계를 벗어나 다른 별로 이동해 갈 수 있는 속도입니다. 이때, 공기 저항은 무시합니다.

5. 부등호와 부등식 중학교 수학

부등호(<, > 등)는 수의 대소 관계나 식의 대소 관계를 비교할 때 사용되는 기호입니다. 부등호를 사용한 식은 부등식이라고 하는데, 부등식은 풀이 과정에서 수직선을 이용하면 편리합니다.

6. 작용반작용의 법칙 초등과학 5-2

뉴턴의 운동 법칙 중 제3법칙에 속하며, 운동 보존량의 법칙이라고도 부릅니다. 작용반작용의 법칙은 두 물체 사이의 작용과 반작용에 대하여 방향은 반대이고, 크기는 같다는 원리입니다. 작용반작용의 법칙은 우리 주변에서 움직이는 모든 물체에 적용됩니다. 총을 쏘면 총이 뒤로 밀리거나 건너편 언덕을 막대기로 밀면 언덕도 막대기를 밀어 배가 강가에서 멀어지는 것 등을 예로 들 수 있습니다. 외부로부터 힘을 받지 않은 물체는 일정한 운동량을 나타내는데, 이때 작용은 원격작용의 범위 안에서 성립합니다.

7. 행성 초등과학 5-1

태양 주위를 공전하며 스스로 빛을 내지 않는 천체를 행성이라고 합니다. 태양

주위를 공전하는 8개의 행성은 특징에 따라 지구형행성과 목성형행성으로 크게 나눌 수 있습니다. 지구와 같이 단단한 암석으로 이루어진 지구형행성에는 수성, 금성, 지구, 화성이 있고, 목성과 같이 수소와 헬륨으로만 이루어진 목성형행성에는 목성, 토성, 천왕성, 해왕성이 있습니다.

8. 원주 초등수학 6-2

원을 이루는 요소에는 원의 중심, 반지름 등 여러 가지가 있습니다. 그중에서 원의 둘레를 이루는 곡선을 원주 또는 원둘레라고 합니다.

9. 자전 초등과학 6-1

천체가 다른 천체의 주위를 회전하는 운동을 공전 또는 공전운동이라고 하고, 천체에 고정된 회전축을 중심으로 하는 회전운동을 자전 또는 자전운동이라고 합니다. 이때, 회전축은 자전축이라고 부릅니다. 지구의 경우, 태양의 주위를 1년 주기로 회전하는 공전운동을 하고, 남북의 극을 잇는 자전축을 중심으로 1일 주기로 회전하는 자전운동을 합니다.

10. 대기압 중학교 과학

대기압은 대기를 구성하는 분자들이 지구 중력에 의해 지구 중심으로 끌어당겨지면서 발생하는 압력입니다. 따라서 어떠한 단위면적에서의 대기압은 해당 단위면적 위에 위치한 공기기둥 전체의 무게에 의한 것입니다.

11. 은하 초등과학 5-1

'은빛 강'이라는 뜻의 은하는 수많은 별이 모여 마치 밤하늘에 흐르는 강처럼 보인다고 하여 은하수라고도 부릅니다. 별들이 무리를 지어 성단을 이루듯이 은하들도 서로 무리 지어 우주 여기저기에 모여 있습니다. 그래서 과학자들은 별이 아닌 은하가 우주를 이루는 기본 단위라고 말합니다. 따라서 우주의 특성을 파악하려면 은하가 어떻게 모여 있는지, 어떻게 움직이는지 등을 연구해야 합니다.

12. 성간물질 초등과학 5-1

은하는 수천억 개의 별이 서로를 끌어당기는 중력으로 유지되고 있습니다. 이러한 별과 별 사이의 공간에는 여러 가지 상태의 물질이 존재하고 있는데, 이를 성간물질이라고 합니다. 우주진이라고도 불리는 성간물질은 성간가스, 성간티끌, 자기장, 우주선 등으로 이루어져 있으며, 주로 성간가스와 성간티끌로 구성되어 있습니다.

13. 대칭 초등수학 5-2

대칭은 축을 중심으로 양쪽의 모양이 같은 것을 말합니다. 방사대칭, 거울대칭, 구대칭, 좌우대칭이 있으며, 일정한 대칭축을 갖지 않는 것은 비대칭으로 구분합니다.

생물학에서 대칭이란 몸의 일부분 또는 형태가 반복될 때 그 반복이 균형적으로 배치된 것을 의미합니다. 이때, 대칭은 완벽히 일치하는 것은 아니지만 대략적으로 같은 것을 말합니다.

수학에서 대칭은 선대칭, 점대칭 등이 있습니다.

14. 연주시차 중학교 과학

연주시차는 지구의 연주운동으로 인해 생기는 별의 시차입니다. 연주운동은 지구가 태양을 중심으로 움직이는 공전운동이며, 평균 공전 반경은 1천문단위(AU)입니다. 일반적으로 시차는 서로 다른 두 지점에서 같은 점을 바라보는 시선이 이루는 각을 의미하는데, 6개월의 시간 간격을 두고 별을 관측하면 지구의 연주운동 때문에 달라진 지구의 위치를 이용하여 공전 직경 2AU를 기선으로 하는 시차를 구할 수 있습니다.

15. 도플러 효과 중학교 과학

도플러 효과는 전자기파(소리, 빛)를 방출하는 물체가 관측자 기준으로 가까워지거나 멀어지는 운동을 할 때, 관측자가 측정하는 전자기파의 파장이 실험실 파장과 달라지는 현상입니다. 이러한 현상은 물체를 관측하는 관측자가 움직이고 있을 때에도 발생합니다.

이야기를 떠올리며 물음에 답하기

1. 한별이가 이야기한 등호와 등식에 대해 말해 보세요.

2. 한별이가 별로 알고 싶어 하지 않았던 항등식과 방정식을 비교하여 설명해 보세요.

3. 한별이는 중력 때문에 비행기로는 지구를 탈출할 수 없다고 했습니다. 중력이 무엇인지 설명해 보세요.

4. 수희가 우주속도를 표현할 때 사용한 부등호와 부등식을 이야기해 보세요.

5. 로켓의 추진력에서 생기는 작용과 반작용을 뉴턴의 운동 법칙으로 설명해 보세요.

6. 외깨인이 설명한 천체의 자전에 대해 말해 보세요.

7. 대기를 구성하는 분자들이 지구 중력에 의해 지구 중심으로 끌어당겨짐에 따라 발생하는 압력을 설명해 보세요.

8. 검은 구름의 정체는 우주진이었습니다. 우주진이 무엇인지 이야기해 보세요.

9. 불규칙 은하에서 수희와 한별이가 공부한 대칭에 대해 설명해 보세요.

10. 지구의 연주운동으로 생기는 별의 시차를 설명해 보세요.

더 깊게 알아보기

1. 다음 빈칸에 알맞은 부등호를 적어 보세요.

(1) $-2x \leq -2y$이면, x (　　　) y이다.

(2) $2x-3>2y-3$이면, x (　　　) y이다.

(3) $-\frac{3}{2}a+1<-\frac{3}{2}b+1$이면, a (　　　) b이다.

(4) $\frac{2-a}{3} \geq \frac{2-b}{3}$이면, a (　　　) b이다.

2. 다음 그림에서 x의 길이를 구해 보세요.

(1)

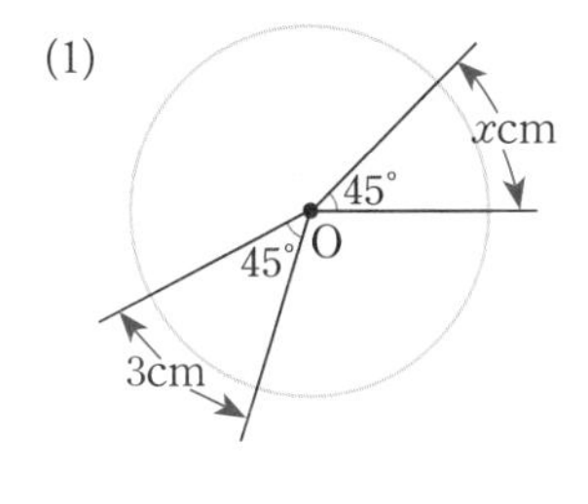

(2)

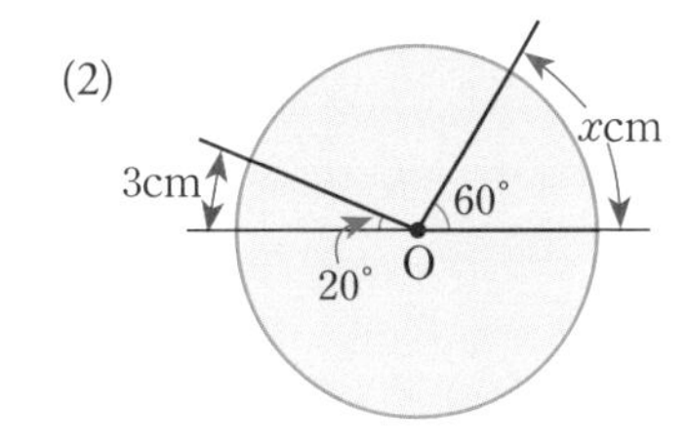

3. 다음 그림에서 x의 크기를 구해 보세요.

4. 허블의 법칙에서는 은하까지의 거리가 멀수록 멀어지는 속도가 빠르게 나타나는데, 이것을 정비례라고 합니다. 정비례 관계를 나타내는 함수를 그려 보세요.

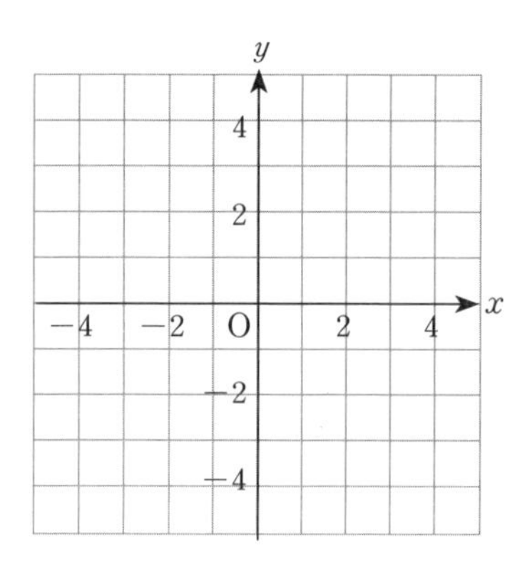

정답 및 풀이

이야기를 떠올리며 물음에 답하기

1.

등호(=)는 두 수식이 같음을 나타내는 기호입니다. 등호를 사용하여 나타낸 등식의 좌변과 우변은 같습니다.

2.

변수를 포함하는 등식이 변수의 값에 상관없이 항상 참인 경우를 항등식이라고 합니다. 이에 견주어 식에 포함된 변수의 값에 따라서 참이 되기도 하고 거짓이 되기도 하는 식은 방정식이라고 합니다.

3.

질량이 있는 모든 물체 사이에는 서로 끌어당기는 만유인력이 작용하는데, 특히 지구가 물체를 잡아당기는 힘을 중력이라고 합니다. 이러한 이유로 만유인력을 중력이라고 할 때도 있지만, 정확히는 만유인력과 지구의 자전에 따르는 원심력을 더한 힘이 중력입니다. 중력이 존재하기 때문에 우리는 공중에 떠다니지 않고 지표면에서 생활합니다. 중력은 지표 근처의 물체를 아래쪽으로 당기기 때문입니다.

4.

부등호(<, > 등)는 수의 대소 관계나 식의 대소 관계를 비교할 때 사용되는 기호입니다. 부등호를 사용한 식은 부등식이라고 하는데, 부등식은 풀이 과정에서 수직선을 이용하면 편리합니다.

5.
작용반작용의 법칙은 뉴턴의 운동 법칙 중 제3법칙에 속하며, 운동 보존량의 법칙이라고도 부릅니다. 두 물체 사이의 작용과 반작용에 대하여 방향은 반대이고, 크기는 같다는 원리입니다.

6.
천체에 고정된 회전축을 중심으로 하는 회전운동을 자전 또는 자전운동이라고 하고, 그 회전축을 자전축이라고 합니다. 지구의 경우, 남북의 극을 잇는 자전축을 중심으로 1일 주기로 회전하는 자전운동을 합니다.

7.
대기압은 대기를 구성하는 분자들이 지구 중력에 의해 지구 중심으로 끌어당겨지면서 발생하는 압력입니다. 따라서 어떠한 단위면적에서의 대기압은 해당 단위면적 위에 위치한 공기 기둥 전체의 무게에 의한 것입니다.

8.
은하는 수천억 개의 별 사이의 중력으로 유지되고 있습니다. 이러한 별과 별 사이의 공간에는 여러 가지 상태의 물질이 존재합니다. 우주진이라고도 불리는 성간물질은 성간가스, 성간티끌, 자기장, 우주선 등으로 이루어져 있으며, 주로 성간가스와 성간티끌로 구성되어 있습니다.

9.
대칭은 축을 중심으로 양쪽의 모양이 같은 것을 말합니다. 방사대칭, 거울대칭, 구대칭, 좌우대칭이 있으며, 일정한 대칭축을 갖지 않는 것은 비대칭으로 구분합니다. 수학에서의 대칭은 선대칭, 점대칭 등이 있습니다.

10.
지구가 태양을 중심으로 공전운동을 함에 따라 천체를 바라보았을 때 생기는 별의 시차를 연주시차라고 합니다. 연주시차는 천체와 지구를 잇는 직선과 천체와 태양을 잇는 직선이 이루는 각으로 나타냅니다. 그래서 연주시차를 알면 직각삼각형을 이용하여 별까지의 거리를 알 수 있습니다. 또 6개월의 시간차를 두고 별을 관측하면, 지구의 연주운동 때문에 달라진 지구의 위치를 통해 공전 직경 2AU를 기선으로 하는 시차를 구할 수 있습니다.

더 깊게 알아보기

1. (1) ≥ (2) > (3) > (4) ≤

(1) $-2x \le -2y$의 양변에 똑같이 음수 $-\frac{1}{2}$을 곱하면 부등호의 방향이 바뀝니다.

$(-2x)\times\left(-\frac{1}{2}\right) \ge (-2y)\times\left(-\frac{1}{2}\right)$이므로 $x \ge y$입니다.

(2) $2x-3>2y-3$의 양변에 똑같이 3을 더해도 부등호의 방향은 바뀌지 않습니다.

$2x-3+3>2y-3+3$이므로 $2x>2y$이고, 양변을 양수 2로 나누면 부등호의 방향은 바뀌지 않으므로 $x>y$입니다.

(3) $-\frac{3}{2}a+1<-\frac{3}{2}b+1$의 양변에서 1을 빼면 부등호의 방향은 바뀌지 않습니다.

그런데 $-\frac{3}{2}a<-\frac{3}{2}b$의 양변에 음수 $-\frac{2}{3}$를 곱하면 부등호의 방향이 바뀌어

$\left(-\frac{3}{2}a\right)\times\left(-\frac{2}{3}\right)>\left(-\frac{3}{2}b\right)\times\left(-\frac{2}{3}\right)$이므로 $a>b$입니다.

(4) $\frac{2-a}{3} \ge \frac{2-b}{3}$의 양변에서 $\frac{2}{3}$를 빼면 부등호의 방향은 바뀌지 않습니다.

그런데 $-\frac{a}{3} \ge -\frac{b}{3}$의 양변에 음수 -3을 곱하면 부등호의 방향이 바뀌어

$\left(-\frac{a}{3}\right)\times(-3) \le \left(-\frac{b}{3}\right)\times(-3)$이므로 $a \le b$입니다.

2. (1) **3cm** (2) **9cm**

(1) 중심각의 크기가 같은 두 부채꼴의 호의 길이는 서로 같습니다.

(2) 부채꼴의 호의 길이는 중심각의 크기에 정비례합니다.

이 성질을 이용하여 $20:3=60:x$라는 비례식을 만들 수 있습니다. 비례식에서 내항의 곱과 외항의 곱은 같으므로 $20\times x=3\times 60$이라는 방정식을 계산하면, $x=9$cm입니다.

3. (1) **110°** (2) **55°**

(1) 평각은 180°이므로, $20°+x+50°=180°$가 됩니다. 따라서 $x=180°-(20°+50°)=110°$

입니다.

(2) 평각은 $180°$이므로, $35°+90°+x=180°$가 됩니다. 따라서 $x=180°-(90°+35°)=55°$입니다.

4.

x와 y가 정비례 관계에 있는 함수는 $x=y$의 형태로 나타낼 수 있습니다. 이때, x의 값을 계속 작게 나누어 이들로부터 얻어지는 순서쌍들을 좌표평면 위에 나타내면, 촘촘하게 모인 점들이 직선에 가까워집니다.

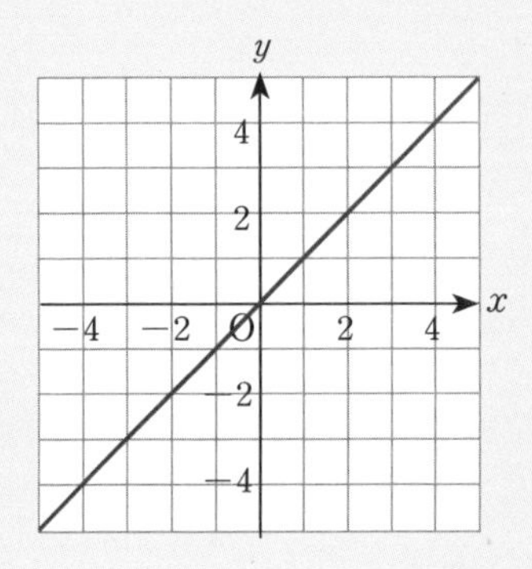

9

기하 왕국의 규칙에 담긴 비밀

김주창 글 • 방상호 그림

분야 어린이 / 초등 학습 / 수학 / 과학

키워드 #STEAM #도형 #프랙털 #비와 비율

내용 소개

모든 세상이 둥글게 되기를 바라는 써클 마녀와 그의 제자 패턴 마녀가 마법을 걸어 기하 왕국을 무너뜨리려고 한다. 위기에 빠진 기하 왕국을 구하기 위해서 프랙 왕자는 리원에게 도움을 청하고, 리원이는 강아지 초롱이와 함께 기하 왕국으로 떠난다. 그곳에서 그들은 해박한 지식을 가진 시어핀 마법사를 만나 자연 속에서 프랙탈을 찾고, 피타고라스의 정리를 배우고 도형을 변환시키면서 '규칙'을 마스터하게 된다. 리원이와 프랙 왕자는 숫자와 규칙으로 복잡하게 얽혀 있는 기하 왕국의 비밀을 모두 찾고 위기의 기하 왕국을 구할 수 있을까?

교과 연계

	1학년	2학년	3학년	4학년	5학년	6학년	중학교
수학						★	★
과학				★		★	★

단원 안내

[초등수학 6-1] 4. 비와 비율

[초등과학 4-2] 1. 식물의 생활

[초등과학 6-1] 3. 여러 가지 기체

개념 쏙쏙! 읽으면서 익히자

1. 사각형 초등수학 4-2

4개의 변과 4개의 꼭짓점으로 이루어진 다각형을 말합니다. 사각형 네 귀퉁이의 각진 지점을 꼭짓점이라 하고, 꼭짓점과 꼭짓점을 연결한 선분을 변이라고 합니다. 또 사각형에서 변으로 연결되지 않은 마주 보는 꼭짓점을 이은 선분을 사각형의 대각선이라고 하고, 사각형은 두 개의 대각선을 가집니다.

사각형은 각의 크기와 변의 길이 및 특성에 따라 종류를 나눌 수 있습니다. 네 각이 모두 직각인 사각형은 직사각형, 직사각형이면서 네 변의 길이까지 모두 같은 사각형은 정사각형입니다. 그리고 각의 크기와 상관없이 네 변의 길이만 모두 같은 사각형은 마름모입니다. 이때, 네 각이 모두 직각인 마름모는 정사각형과 같습니다. 또 마주 보는 한 쌍의 대변이 서로 평행인 사각형은 사다리꼴, 두 쌍의 대변이 서로 평행인 사각형은 평행사변형이라고 부릅니다.

2. 정삼각형 초등수학 4-2

정삼각형은 세 변의 길이가 모두 같은 삼각형입니다. 정삼각형의 세 각의 크기는 모두 60°로 같습니다. 따라서 정삼각형은 세 각이 모두 직각보다 작은 각으로 만들어진 예각삼각형이라고 할 수 있습니다. 또 두 변의 길이가 같은 이등변삼각형이라고도 할 수 있습니다.

3. 선대칭 도형 초등수학 5-2

어떤 직선(대칭축)으로 접었을 때 완전히 겹쳐지는 도형을 선대칭 도형이라고 합니다. 선대칭 도형은 대칭축을 중심으로 양쪽 모양이 서로 같으며, 다음과 같은 성질을 갖습니다.

① 대응변과 대응각의 크기가 각각 서로 같습니다.

② 각 대응점은 대칭축을 중심으로 같은 거리에 있습니다.

③ 대응점끼리 이은 선분은 대칭축과 수직으로 만나고, 이 대응점은 대칭축을 중심으로 같은 거리에 있습니다.

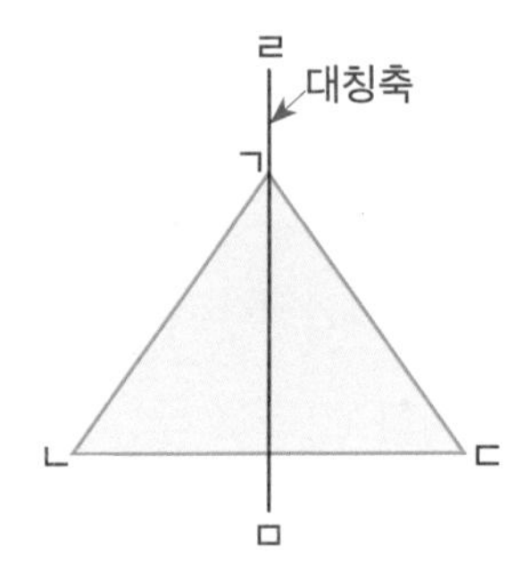

5. 선대칭 위치에 있는 도형 초등수학 5-2

어떤 직선에 의해 완전히 겹쳐지는 두 도형을 선대칭 위치에 있다고 말합니다. 선대칭 위치에 있는 도형의 대응점을 이은 선분은 대칭축에 의해 수직 이등분 됩니다.

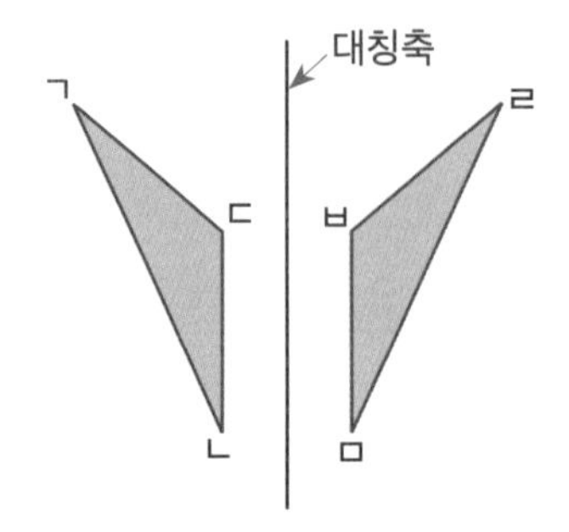

- 대응점 : 점 ㄱ과 점 ㄹ, 점 ㄴ과 점 ㅁ, 점 ㄷ과 점 ㅂ
- 대응변 : 변 ㄱㄴ과 변 ㄹㅁ, 변 ㄴㄷ과 변 ㅁㅂ, 변 ㄷㄱ과 변 ㅂㄹ
- 대응각 : 각 ㄱㄴㄷ과 각 ㄹㅁㅂ, 각 ㄴㄷㄱ과 각 ㅁㅂㄹ, 각 ㄷㄱㄴ과 각 ㅂㄹㅁ

6. 정다각형 중학교 수학

변의 길이가 모두 같고, 각의 크기가 모두 같은 다각형을 정다각형이라고 합니다. 정다각형은 변의 수에 따라 정삼각형, 정사각형, 정오각형, 정육각형, … 등으로 부릅니다. 정오각형의 한 각은 108°이고, 정육각형의 한 각은 120°입니다.

7. 테셀레이션 중학교 수학

한 가지 이상의 도형을 이용해 어떤 틈이나 겹침 없이 평면 또는 공간을 완전히 메우는 것을 의미합니다. 우리말로는 '쪽매맞춤'이라고 합니다. 테셀레이션은 '4'를 뜻하는 그리스어 테세레스에서 유래한 말로, 고대 로마인들이 작은 정사각형 돌을 붙여 바닥을 모자이크 처리하는 일에서 유래되었습니다.

8. 트러스 구조 중학교 과학

목재, 강재 등의 단재를 핀 접합으로 세모지게 구성하고, 그 삼각형을 연결하여 조립한 뼈대를 트러스 구조라고 합니다. 즉, 삼각형 그물 모양으로 구조를 짜서 하중을 지탱합니다. 교량이나 지붕처럼 넓은 공간에 사용되는 구조물의 형태로 많이 쓰입니다. 트러스 구조가 삼각형 단위의 공간으로 구성되는 이유는 삼각형 공간이 사각형 공간일 때보다 쉽게 변형이 일어나지 않고 안정된 형태를 유지할 수 있기 때문입니다.

9. 피타고라스 중학교 수학

피타고라스는 기원전 580년경에 태어난 정치가, 철학자이면서 수학자로, 피타고라스의 정리를 만들었습니다. 그는 철학, 수학, 음악, 천문학, 종교, 의술 등 다방면에 관심을 가지고 독특한 사상을 발전시켰는데, 특히 도형을 숫자로 표시하는 기하학의 수론적인 정의를 연구하는 데 많은 힘을 쏟았습니다.

10. 피타고라스의 정리 중학교 수학

직각삼각형의 빗변을 한 변으로 하는 정사각형의 넓이는 나머지 두 변을 각각 한 변으로 하는 정사각형 두 개의 넓이의 합과 같다는 정리입니다. 따라서 직각삼각형의 빗변의 길이 제곱은 나머지 두 변(밑변, 높이)의 길이를 각각 제곱한 값의 합과 같습니다.

11. 평행사변형 중학교 수학

평행사변형에서 평행인 두 변을 밑변, 두 밑변 사이의 거리를 높이라고 합니다. 평행사변형은 마주 보는 변의 길이가 서로 같고, 마주 보는 각의 크기도 서로 같습니다. 또 평행사변형의 한 대각선은 다른 대각선을 이등분합니다. 마름모, 직사각형, 정사각형은 평행사변형이라고 할 수 있습니다.

12. 사다리꼴과 평행사변형의 넓이 초등수학 4-2

① 사다리꼴은 윗변과 밑변의 길이와 높이를 이용하여 넓이를 구합니다.

(사다리꼴의 넓이)=[{(윗변의 길이)+(밑변의 길이)}×(높이)]÷2

② 평행사변형은 밑변의 길이와 높이를 이용하여 넓이를 구합니다.

(평행사변형의 넓이)=(밑변의 길이)×(높이)

13. 수열 중학교 수학

어떤 규칙에 따라 차례로 수를 나열한 것을 수열이라고 합니다. 이때, 나열된 각 수를 그 수열의 항이라고 하고, 유한한 n개의 항으로 이루어진 수열은 유한수열, 무한히 많은 항으로 이루어진 수열은 무한수열이라고 합니다.

14. 프랙털 구조 중학교 수학

프랙털 구조는 작은 구조가 전체 구조와 비슷한 형태로 끝없이 되풀이되는 구조입니다. 부분과 전체가 똑같은 모양을 하고 있다는 자기 유사성의 개념을 기하학적으로 나타낸 것으로, 단순한 구조가 끊임없이 반복되면서 복잡하고 묘한 전체 구조를 만듭니다. 따라서 프랙털은 자기 유사성과 순환성이라는 특징을 가지고 있습니다. 자연계의 리아스식 해안선, 동물 혈관의 분포 형태, 나뭇가지 모양, 창문에 성에가 낀 모습, 산맥의 모습, 은하의 신비로운 모습까지 모두 프랙털 구조입니다.

이야기를 떠올리며 물음에 답하기

1. 기하 왕국으로 들어가는 문을 열기 위해서는 여러 가지 도형을 원래 있던 모양으로 다시 배치해야 했습니다. 이 중에서 4개의 선분과 4개의 꼭짓점으로 이루어진 다각형에 대해 설명해 보세요.

2. 프랙 왕자가 땅에 그림을 그리며 설명한 선대칭 도형의 성질을 이야기해 보세요.

3. 시어핀 마법사가 말한 테셀레이션이 무엇인지 말해 보세요.

4. 무게를 지탱하기 위해 건축물에 사용되는 트러스 구조를 설명해 보세요.

5. 기하 왕국의 문을 열 때 사용된 세 번째와 네 번째 도형에 대하여 설명해 보세요.

6. 피타고라스 나무에 걸린 마법을 풀기 위해서 알아낸 사다리꼴의 넓이와 평행사변형의 넓이를 구하는 방법을 이야기해 보세요.

7. 시어핀 마법사가 이야기한 직각삼각형의 변을 길이를 구할 때 쓰는 피타고라스의 정리를 설명해 보세요.

8. 기하 왕국을 이루고 있는 여러 가지 규칙 중 하나로, 솔방울, 파인애플처럼 특정한 규칙으로 나열되는 수열에 대하여 설명해 보세요.

9. 써클 마녀의 마법에 걸려 꿀벌이 되어 버린 리원이와 친구들이 마법을 풀기 위해 찾아야 하는 프랙털이 무엇인지 말해 보세요.

더 깊게 알아보기

1. 다음 삼각형에서 x의 값을 구해 보세요.

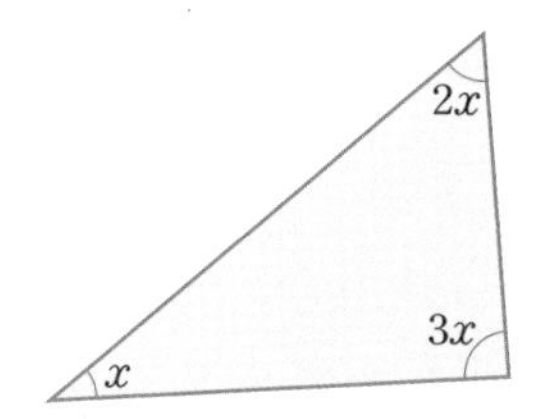

2. 다음 다각형에서 x의 크기를 구해 보세요.

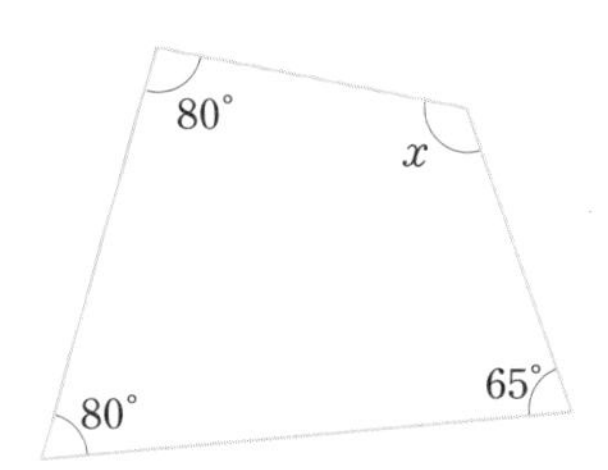

3. 다음 직각삼각형에서 밑변 길이의 제곱과 높이의 제곱의 합을 구해 보세요.

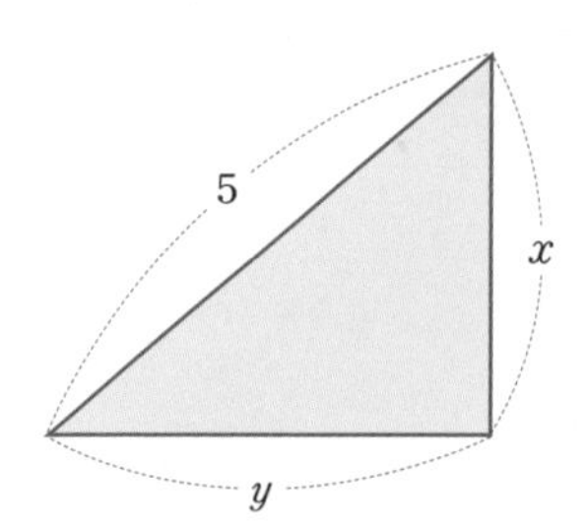

4. 삼각형의 세 변의 길이가 다음과 같을 때, 직각삼각형이면 ○, 아니면 ×를 표시해 보세요.

(1) 1cm, 2cm, 3cm (　　　)

(2) 3cm, 4cm, 5cm (　　　)

(3) 5cm, 5cm, 3cm (　　　)

(4) 6cm, 8cm, 10cm (　　　)

5. 피보나치 수열을 생각하면서 빈칸에 알맞은 수를 적어 보세요.

1, 1, 2, 3, 5, 8, 13, 21, (　　　)

정답 및 풀이

이야기를 떠올리며 물음에 답하기

1.

4개의 변과 4개의 꼭짓점으로 이루어진 다각형은 사각형입니다. 사각형 네 귀퉁이의 각진 지점을 꼭짓점이라 하고, 꼭짓점과 꼭짓점을 연결한 선분을 변이라고 합니다. 또 사각형에서 변으로 연결되지 않은 마주 보는 꼭짓점을 이은 선분을 사각형의 대각선이라고 하고, 사각형은 두 개의 대각선을 가집니다.

사각형은 각의 크기와 변의 길이 및 특성에 따라 직사각형, 정사각형, 마름모, 사다리꼴, 평행사변형 등으로 종류를 나눌 수 있습니다.

2. **선대칭 도형의 성질**

① 대응변과 대응각의 크기가 각각 서로 같습니다.

② 각 대응점은 대칭축을 중심으로 같은 거리에 있습니다.

③ 대응점끼리 이은 선분은 대칭축과 수직으로 만나고, 이 대응점은 대칭축을 중심으로 같은 거리에 있습니다.

3.

테셀레이션은 한 가지 이상의 도형을 이용해 어떤 틈이나 겹침 없이 평면 또는 공간을 완전히 메우는 것을 의미합니다. 우리말로는 '쪽매맞춤'이라고 합니다. 테셀레이션은 '4'를 뜻하는 그리스어 테세레스에서 유래한 말로, 고대 로마인들이 작은 정사각형 돌을 붙여 바닥을 모자이크 처리하는 일에서 유래되었습니다.

4.
목재, 강재 등의 단재를 핀 접합으로 세모지게 구성하고, 그 삼각형을 연결하여 조립한 뼈대를 트러스 구조라고 합니다. 즉, 삼각형 그물 모양으로 구조를 짜서 하중을 지탱시키는 구조입니다. 교량이나 지붕처럼 넓은 공간에 사용되는 구조물의 형태로 많이 쓰입니다. 트러스 구조가 삼각형 단위의 공간으로 구성되는 이유는 삼각형 공간이 사각형 공간일 때보다 쉽게 변형이 일어나지 않고 안정된 형태를 유지할 수 있기 때문입니다.

5.
기하 왕국의 문을 열 때 사용된 세 번째와 네 번째 도형은 평행사변형이었습니다. 평행사변형에서 평행인 두 변을 밑변, 두 밑변 사이의 거리를 높이라고 합니다. 평행사변형은 마주 보는 변의 길이가 서로 같고, 마주 보는 각의 크기도 서로 같습니다. 또 평행사변형의 한 대각선은 다른 대각선을 이등분합니다. 마름모, 직사각형, 정사각형은 평행사변형이라고 할 수 있습니다.

6.
사다리꼴의 넓이는 윗변과 밑변 길이의 합과 높이의 곱을 2로 나누어 구할 수 있습니다. 평행사변형의 넓이는 밑변의 길이와 높이를 곱한 값과 같습니다.

7.
고대 그리스의 철학자이자 수학자였던 피타고라스가 발견했다고 일반적으로 알려져 있기 때문에 피타고라스의 정리라 불립니다. 피타고라스의 정리에 따르면, 직각삼각형의 빗변을 한 변으로 하는 정사각형의 넓이는 나머지 두 변을 각각 한 변으로 하는 정사각형 두 개의 넓이의 합과 같습니다. 따라서 직각삼각형의 빗변의 길이 제곱은 두 변의 길이(밑변, 높이)를 각각 제곱한 값의 합과 같습니다.

8.
어떤 규칙에 따라 차례로 수를 나열한 것을 수열이라고 합니다. 이때, 나열된 각 수를 그 수열의 항이라고 하며, 유한한 n개의 항으로 이루어진 수열을 유한수열, 무한히 많은 항으로 이루어진 수열을 무한수열이라고 합니다.

9.

프랙털은 작은 구조가 전체 구조와 비슷한 형태로 끝없이 되풀이되는 구조를 말합니다. 부분과 전체가 똑같은 모양을 하고 있다는 자기 유사성의 개념을 기하학적으로 나타낸 것으로, 단순한 구조가 끊임없이 반복되면서 복잡하고 묘한 전체 구조를 만듭니다. 따라서 프랙털은 자기 유사성과 순환성이라는 특징을 가지고 있습니다. 자연계의 리아스식 해안선, 동물 혈관의 분포 형태, 나뭇가지 모양, 창문에 성에가 낀 모습, 산맥의 모습, 은하의 신비로운 모습까지 모두 프랙털 구조입니다.

더 깊게 알아보기

1. **30°**

삼각형의 내각의 합은 180°라는 성질을 이용하여 $x+2x+3x=180$이라는 방정식을 세우고 $6x=180$으로 간단하게 나타낼 수 있습니다. x의 값이 30일 때 등식이 성립합니다.

2. **135°**

사각형의 내각의 합은 360°이므로 $x+80^\circ+80^\circ+35^\circ=360^\circ$라는 식을 세울 수 있습니다. $x=135^\circ$입니다.

3. **25**

피타고라스의 정리를 이용하여 문제를 풀 수 있습니다. 직각삼각형 빗변의 길이의 제곱은 나머지 두 변의 길이의 제곱의 합과 같으므로, $x^2+y^2=5^2$이라고 할 수 있습니다. 따라서 밑변의 제곱과 높이의 제곱을 합한 값은 5의 제곱인 25입니다.

4. (1) × (2) ○ (3) × (4) ○

직각삼각형에서 빗변은 밑변과 높이보다 긴 길이를 갖습니다. 따라서 직각삼각형이 되려면, 가장 긴 변의 길이의 제곱이 나머지 두 변의 길이의 제곱의 합과 같아야 합니다.

(1) $3^2 \neq 1^2+2^2$이므로 직각삼각형이 아닙니다.

(2) $5^2=3^2+4^2$이므로 직각삼각형입니다.

(3) $5^2 \neq 5^2 + 3^2$이므로 직각삼각형이 아닙니다.

(4) $10^2 = 6^2 + 8^2$이므로 직각삼각형입니다.

5. **34**

피보나치 수열은 앞의 두 수를 더해서 다음 수를 만드는 규칙을 가집니다. 보기의 수열을 덧셈으로 나타내면 다음과 같습니다.

1,	1,	1+1,	1+2,	2+3,	3+5,	5+8,	8+13
(1)	(1)	(2)	(3)	(5)	(8)	(13)	(21)

따라서 빈칸에 들어갈 수는 앞의 두 수인 13과 21의 합인 34입니다.

잃어버린 단위로 크기를 구하라!

장혜원, 김민회 글 • 이지후 그림

분야 어린이 / 초등 학습 / 수학 / 과학

키워드 #STEAM #단위 #길이와 무게 #물체의 운동

내용 소개

부모님은 해외 출장을 떠나고 시골 할아버지 댁에서 지내면서 낡은 무전기를 우연히 줍게 된 해듬이는 무전기로 외계인 클리욘과 교신한다. 클리욘은 우주 마녀의 시샘으로 길이와 무게를 나타내는 말이 없어진 위니테 별의 왕자이다. 마녀가 던지고 간 문제들을 풀면 혼란에 빠진 위니테 별을 구할 수 있다. 시골에서 만난 왈가닥 소녀 오필과 해듬, 클리욘은 지혜를 모아 마녀가 낸 문제를 풀어내며 단위의 중요성을 깨닫는다. 하지만 정작 클리욘의 정체는 미처 예측하지 못하는데…….

교과 연계

	1학년	2학년	3학년	4학년	5학년	6학년	중학교
수학					★		★
과학					★	★	★

단원 안내

[초등수학 5-1] 4. 약분과 통분

[초등과학 5-1] 2. 온도와 열

[초등과학 5-2] 4. 물체의 운동

[초등과학 6-1] 2. 지구와 달의 운동

개념 쏙쏙! 읽으면서 익히자

1. 약수 초등수학 5-1

어떤 수를 나누어떨어지게 하는 수를 그 수의 약수라고 합니다. 예를 들어, 10의 약수는 10을 나누어떨어지게 하는 1, 2, 5, 10입니다.

$10 \div 1 = 10$

$10 \div 2 = 5$

$10 \div 3 = 3 \cdots 1$

$10 \div 4 = 2 \cdots 2$

$10 \div 5 = 2$

$10 \div 6 = 1 \cdots 4$

$10 \div 7 = 1 \cdots 3$

$10 \div 8 = 1 \cdots 2$

$10 \div 9 = 1 \cdots 1$

$10 \div 10 = 1$

2. 단위 초등수학 5-2

단위는 길이, 무게, 들이, 시간 따위의 수량을 수치로 나타낼 때 기초가 되는 일정한 기준입니다. 미터, 그램, 리터, 초, 근, 되, 자 등이 있습니다.

3. 분모가 다른 분수의 계산 초등수학 5-1

분수의 계산에서 분모가 같으면 분자끼리 더하거나 뺄 수 있습니다. 만약 분모가 다른 경우에는 먼저 두 분모를 같게 만들어 주는 통분을 합니다. 이때, 분모의 최소공배수를 공통분모로 하여 통분하거나 두 분모의 곱으로 통분하는 방법을 사용할 수 있습니다. 분모를 통분한 다음 분자끼리 더하거나 뺄 수 있습니다.

4. 단위분수 초등수학 3-2

분자가 1인 분수를 단위분수라고 합니다. 단위분수는 분모가 작을수록 더 큰 수를 나타냅니다. 단위분수끼리의 곱셈에서 분자는 항상 1이고 분모는 두 분모의 곱이 됩니다.

5. 등분 초등수학 3-2

각이나 선분 등의 도형을 같은 양으로 나누는 것을 말합니다. 이때, 각은 크기가 똑같아지도록 나누고, 선분은 길이가 똑같아지도록 나눕니다. 등분을 할 때 두 개로 나누는 것은 이등분, 세 개로 나누는 것은 삼등분, 네 개로 나누는 것은 사등분, …이라고 합니다.

6. 눈금실린더 초등과학 4-1

액체의 부피를 측정할 수 있도록 만든 실험 기구로, 메스실린더라고도 불립니다. 길쭉하고 좁은 원통 모양이며, 눈금과 숫자가 표시되어 있습니다. 눈금실린더로 액체의 부피를 측정하기 위해서는 먼저 눈금실린더에 액체를 붓습니다. 평평한 곳에 눈금 실린더를 놓고 몸을 낮추어 액체의 높이와 눈의 높이를 맞춘 다음 눈금실린더의 눈금을 읽습니다.

8. 부피 초등수학 6-1

물체가 차지하는 공간의 크기를 부피라고 합니다. 부피는 한 변의 길이가 단위 길이인 정육면체를 이용하여 측정한 값으로 나타냅니다. 직육면체의 부피는 가로의 길이, 세로의 길이, 높이의 곱과 같습니다. 이때, 단위길이로 cm, m 등을 사용하면 부피의 단위는 cm^3, m^3이 됩니다.

9. 탄성 초등과학 5-2

탄성은 외부의 힘에 의해 변형된 물체가 이 힘이 제거되었을 때 원래의 상태로 되돌아가려고 하는 성질입니다. 탄성이 강한 물체에는 용수철, 고무줄 등이 있습니다.

용수철이나 고무줄과 같이 탄성이 있는 물체가 모양이 변형되었을 때 원래대로 되돌아가려는 힘 때문에 생기는 에너지를 탄성에너지라고 합니다. 탄성에너지는 물체의 모양이 많이 변형될수록 커집니다.

10. 질량 초등과학 4-1

질량은 물체의 고유한 속성을 나타내는 양을 의미합니다. 질량은 운동 상태 변화에 저항하는 관성의 크기를 양적으로 나타내며, 동시에 상호작용 하는 중력의 세기를 나타냅니다. 또한, 물체의 질량은 물체가 고립된 정지 상태에서 갖는 총에너지인 정지에너지의 크기를 나타내기도 합니다.

11. 질량과 무게 초등과학 4-1

질량을 나타낼 때에는 'g(그램)'이나 'kg(킬로그램)'을 주로 사용합니다. 무게를 잴 때에도 g, kg을 사용하지만, 과학적으로 정확히 말하면 g이나 kg은 무게가 아닌 질량의 단위입니다. 무게는 지구가 물체를 끌어당기는 힘의 크기이기 때문입니다. 따라서 무게를 나타낼 때는 힘의 크기를 나타내는 단위인 N(뉴턴)을 쓰는 것이 정확한 표현입니다.

12. 중력 초등과학 6-1

들고 있던 공을 놓으면 공은 지구 중심 방향을 향해 아래로 떨어집니다. 지구와 물체 사이에 중력이 작용하기 때문입니다. 이처럼 지구와 물체가 서로 당기는 힘을 중력이라고 합니다.

13. 속도와 속력 초등과학 5-2

속력은 단위시간 동안 이동한 거리로 물체의 빠르기를 나타낼 때 사용됩니다. 속력의 단위로는 cm/s, m/s, m/min, km/h 등이 있습니다.

$$속력=\frac{이동\ 거리}{걸린\ 시간}$$

속도는 단위시간 동안 이동한 거리와 방향의 변화로 물체의 빠르기를 나타낼 때 사용됩니다. 물체의 빠르기를 이동한 방향과 함께 나타낸다는 점에서 속력과 차이가 있습니다. 속도의 단위는 cm/s, m/s, m/min, km/h 등으로 속력의 단위와 같습니다.

14. 화씨온도 초등과학 5-1

1724년 독일의 물리학자 파렌하이트가 최초로 사용하기 시작한 온도 눈금으로, 이때부터 온도의 계측이 가능해졌습니다. 단위 기호는 °F를 사용합니다. 화씨온도는 1기압 환경에서 물의 어는점을 32°F, 끓는점을 212°F로 하여 두 점 사이를 180등분한 온도 눈금입니다.

15. 섭씨온도 초등과학 5-1

1742년 스웨덴의 천문학자이자 물리학자인 셀시우스가 창시한 한란계에서 기원하기 때문에 셀시우스도라고도 부릅니다. 단위 기호는 ℃를 사용합니다. 섭씨온도는 1기압 환경에서 물의 어는점을 0℃, 끓는점을 100℃로 하여 그 사이를 100등분한 온도 눈금입니다.

이야기를 떠올리며 물음에 답하기

1. 단위가 없는 세상은 끔찍합니다. 단위에 대해 배운 것을 이야기해 보세요.

2. 분모가 다른 분수는 어떻게 계산할 수 있는지 설명해 보세요.

3. 고대 이집트 사람들이 주로 사용했던 분자가 1인 분수에 대하여 말해 보세요.

4. 각이나 선분 같은 도형을 같은 양으로 나누는 것을 무엇이라고 하는지 이야기해 보세요.

5. 해듬이에게 쪽지를 받은 과학사 아저씨가 액체의 부피를 잴 때 사용한 실험 기구에 대하여 설명해 보세요.

6. 아저씨는 부피와 들이가 어떻게 다르다고 했는지 말해 보세요.

7. 해듬이가 사용한 용수철이 가지고 있는 탄성에 대해 이야기해 보세요.

8. 해듬이가 클리온에게 알려 준 질량과 무게를 설명해 보세요.

9. 민규와 해듬이는 속력을 겨루었습니다. 속력과 속도에 대해 설명해 보세요.

10. 할머니가 해듬이에게 이야기한 섭씨온도에 대해 설명해 보세요.

더 깊게 알아보기

1. 다음 분수의 덧셈을 계산해 보세요.

(1) $\frac{1}{2}+\frac{1}{3}$　　(2) $\frac{5}{7}+\frac{2}{3}$

2. 다음 보기 중 단위분수가 아닌 것을 모두 찾아보세요.

① $\frac{1}{3}$　② $\frac{2}{5}$　③ $\frac{2}{6}$　④ $\frac{1}{7}$　⑤ $\frac{2}{3}$

3. 다음 길이와 들이를 단위에 맞게 고쳐 보세요.

(1) 4cm 6mm는 (　　　　)mm로 나타낼 수 있습니다.

(2) 4cm 6mm는 (　　　　)cm로 나타낼 수 있습니다.

(3) 2L는 (　　　　)mL와 같습니다.

(4) 100mL는 (　　　　)L와 같습니다.

4. 산을 올라갈 때는 시속 2km로 걷고, 내려올 때는 같은 길을 시속 3km로 걸어서 3시간 이내에 등산을 마치려고 합니다. 최대 몇 km까지 산을 올라갔다가 내려와야 하는지 생각해 보세요.

5. 중력에 대해 생각하면서 물음에 답해 보세요.

(1) 지구는 구 모양이지만 우리는 평소에 평평한 땅에 서 있다고 느낍니다. 왜일까요?

(2) 우주선은 매우 빠른 속력으로 쏘아 올려야 합니다. 이유가 무엇일까요?

(3) 블랙홀은 눈으로 관찰할 수 없습니다. 왜 그럴까요?

이야기를 떠올리며 물음에 답하기

1.
단위는 길이, 무게, 수, 시간 따위의 수량을 수치로 나타낼 때 기초가 되는 일정한 기준입니다. 미터, 그램, 리터, 초 등이 있습니다.

2.
분모가 다른 경우에는 먼저 두 분모를 같게 만들어 주는 통분을 합니다. 이때, 분모의 최소공배수를 공통분모로 하여 통분하거나 두 분모의 곱으로 통분하는 방법을 사용할 수 있습니다. 분모를 통분한 다음 분자끼리 더하거나 뺄 수 있습니다.

3.
분자가 1인 분수를 단위분수라고 합니다. 단위분수는 분모가 작을수록 더 큰 수를 나타냅니다. 단위분수끼리의 곱셈에서 분자는 항상 1이고 분모는 두 분모의 곱이 됩니다.

4.
각이나 선분 등의 도형을 같은 양으로 나누는 것을 말합니다. 이때, 각은 크기가 똑같아지도록 나누고, 선분은 길이가 똑같아지도록 나눕니다. 등분을 할 때 두 개로 나누는 것은 이등분, 세 개로 나누는 것은 삼등분, 네 개로 나누는 것은 사등분, …이라고 합니다.

5.
눈금실린더는 액체의 부피를 측정할 수 있도록 만든 실험 기구로, 메스실린더라고도 불립니다. 길쭉하고 좁은 원통 모양이며, 눈금과 숫자가 표시되어 있습니다. 눈금실린더로 액체의 부피를 측정하기 위해서는 먼저 눈금실린더에 액체를 붓습니다. 평평한 곳에 눈금 실린더를 놓고 몸을 낮추어 액체의 높이와 눈의 높이를 맞춘 다음 눈금실린더의 눈금을 읽습니다.

6.
부피는 물체가 공간에서 차지하는 크기를 말합니다. 그런데 모래 알갱이처럼 형태가 정해지지 않아서 부피를 재기가 곤란한 경우에는 그릇에 담아 그 양을 잽니다. 이처럼 어떤 그릇에 가득 담긴 양이 들이입니다.

7.
탄성은 외부의 힘에 의해 변형된 물체가 이 힘이 제거되었을 때 원래의 상태로 되돌아가려고 하는 성질입니다. 용수철, 고무줄 등은 탄성이 강합니다. 탄성이 있는 물체의 모양이 변형되었을 때 되돌아가려는 힘 때문에 생기는 탄성에너지는 물체의 모양이 많이 변형될수록 커집니다.

8.
질량은 물체를 이루는 물질의 양을 말합니다. 무게는 지구가 물체를 끌어당기는 중력의 크기이기 때문에 위치에 따라 달라질 수 있습니다. 예를 들어, 중력이 약한 달에서 무게를 재면 지구에서 잴 때보다 가벼워지는 것입니다. 그러나 질량은 어떤 물체의 양을 의미하기 때문에 어디에서나 변함이 없습니다.

9.
속력은 단위시간 동안 이동한 거리로 물체의 빠르기를 나타낼 때 사용됩니다. 속력의 단위로는 cm/s, m/s, m/min, km/h 등이 있습니다.

속도는 단위시간 동안 이동한 거리와 방향의 변화로 물체의 빠르기를 나타낼 때 사용됩니다. 물체의 빠르기를 이동한 방향과 함께 나타낸다는 점에서 속력과 차이가 있습니다. 속도의 단위는 cm/s, m/s, m/min, km/h 등으로 속력의 단위와 같습니다.

10.
1742년 스웨덴의 천문학자이자 물리학자인 셀시우스가 창시한 한란계에서 기원하기 때문에 셀시우스도라고도 부릅니다. 단위 기호는 ℃를 사용합니다. 섭씨온도는 1기압 환경에서 물의 어는점을 0℃, 끓는점을 100℃로 하여 그 사이를 100등분한 온도 눈금입니다.

더 깊게 알아보기

1. (1) $\frac{5}{6}$ (2) $1\frac{8}{21}$

분모의 크기가 다른 분수의 덧셈을 계산할 때에는 먼저 통분을 해야 합니다.

(1) $\frac{1}{2}+\frac{1}{3}=\frac{3}{6}+\frac{2}{6}=\frac{5}{6}$

(2) $\frac{5}{7}+\frac{2}{3}=\frac{15}{21}+\frac{14}{21}=\frac{29}{21}=1\frac{8}{21}$

2. ②, ⑤

단위분수는 분자가 1인 분수입니다. ③의 경우, 약분을 하면 $\frac{2}{6}=\frac{1}{3}$과 같으므로 단위분수라고 할 수 있습니다.

3. (1) 46mm (2) 4.6cm (3) 2000mL (4) 0.1L

(1) 1cm는 10mm와 같습니다. 따라서 4cm 6mm는 46mm로 나타낼 수 있습니다.

(2) 1mm는 0.1cm와 같이 쓸 수 있습니다. 따라서 4cm 6mm는 4.6cm로 나타낼 수 있습니다.

(3) 1L는 1000mL와 같으므로 2L는 2000mL로 나타낼 수 있습니다.

(4) 100mL는 0.1L로 나타낼 수 있습니다.

4. $3\frac{3}{5}$km

속력과 시간, 거리의 관계를 이용하여 문제를 풀 수 있습니다. (시간)$=\frac{(\text{거리})}{(\text{속력})}$에서 거리를 x라고 하면, $\frac{x}{2}+\frac{x}{3}\leq 3$이라는 방정식을 세울 수 있습니다. 이 식은 분모를 통분하여 $\frac{3x}{6}+\frac{2x}{6}\leq 3$과 같이 나타낼 수 있고, 양변에 6을 곱하여 간단히 $5x\leq 18$로 쓸 수 있습니다. 따라서 $x\leq\frac{18}{5}$이므로 산을 $3\frac{3}{5}$km만큼 오르내리면 3시간 안에 등산을 마칠 수 있습니다.

5.

(1) 지구의 중심 방향으로 중력이 작용하기 때문입니다.

(2) 우주선이 지구 밖으로 나가려면 중력의 역방향으로 힘이 작용해야 합니다.

(3) 블랙홀의 엄청난 중력이 빛까지 흡수하기 때문에 눈으로 관찰할 수 없습니다.

MEMO